中华人民共和国国家标准

医药工业废弃物处理设施
工程技术规范

Technical code for waste treatment facilities of pharmaceutical industry

GB 51042-2014

主编部门：中国医药工程设计协会
批准部门：中华人民共和国住房和城乡建设部
施行日期：2015年8月1日

中国计划出版社

2015 北京

中华人民共和国国家标准
医药工业废弃物处理设施
工程技术规范
GB 51042-2014
☆
中国计划出版社出版
网址：www.jhpress.com
地址：北京市西城区木樨地北里甲 11 号国宏大厦 C 座 3 层
邮政编码：100038　电话：（010）63906433（发行部）
新华书店北京发行所发行
三河富华印刷包装有限公司印刷

850mm×1168mm　1/32　1.25 印张　27 千字
2015 年 6 月第 1 版　2015 年 6 月第 1 次印刷
☆
统一书号：1580242・656
定价：12.00 元

版权所有　侵权必究
侵权举报电话：（010）63906404
如有印装质量问题，请寄本社出版部调换

中华人民共和国住房和城乡建设部公告

第 654 号

住房城乡建设部关于发布国家标准《医药工业废弃物处理设施工程技术规范》的公告

现批准《医药工业废弃物处理设施工程技术规范》为国家标准，编号为 GB 51042—2014，自 2015 年 8 月 1 日起实施。其中，第 3.0.2(5)、4.1.2(1) 条（款）为强制性条文，必须严格执行。

本规范由我部标准定额研究所组织中国计划出版社出版发行。

中华人民共和国住房和城乡建设部
2014 年 12 月 2 日

前　言

本规范是根据住房城乡建设部《关于印发〈2009年工程建设标准规范制订、修订计划〉的通知》(建标〔2009〕88号)的要求,由中国医药集团重庆医药设计院会同有关单位共同编制而成的。

本规范在编制过程中,编制组经广泛调查研究,认真总结实践经验,参考有关国内标准和国外先进标准,并在广泛征求意见的基础上,最后经审查定稿。

本规范共分5章,主要技术内容包括:总则,术语,基本规定,分类要求,废弃物监测。

本规范中以黑体字标志的条文为强制性条文,必须严格执行。

本规范由住房城乡建设部负责管理和对强制性条文的解释,由中国医药工程设计协会负责日常管理,由中国医药集团重庆医药设计院负责具体技术内容的解释。在本规范执行过程中,希望各单位结合工程实践,认真总结经验,如有需要修改和补充之处,请将意见和建议寄送中国医药集团重庆医药设计院(地址:重庆市渝中区大坪正街8号,邮政编码:400042),以便今后修订时参考。

本规范主编单位、参编单位、主要起草人和主要审查人:

主 编 单 位: 中国医药集团重庆医药设计院
参 编 单 位: 中石化上海工程有限公司
　　　　　　中国医药集团武汉医药设计院
　　　　　　北大国际医院集团重庆大新药业股份有限公司
　　　　　　北大国际医院集团西南合成医药集团有限公司
　　　　　　华北制药集团环境保护研究所

主要起草人：卢浩荣　庞家胜　穆晓慧　李晓丽　梁其辉
　　　　　　　杨　渊　蒋光军　粟　璐　潘晓勤　程　宁
　　　　　　　王　玲　杨　军　胡国云　任立人　苏胜强
　　　　　　　刘　建
主要审查人：缪　晡　修光利　曹芦林　吴晓军　赵振利
　　　　　　　王晓东　彭绪亚　张少正　叶文润　韩兆峰

目　次

1 总　则 …………………………………………（1）
2 术　语 …………………………………………（2）
3 基本规定 ………………………………………（5）
4 分类要求 ………………………………………（7）
　4.1 发酵类医药工业废弃物 ……………………（7）
　4.2 化学合成类医药工业废弃物 ………………（8）
　4.3 提取类医药工业废弃物 ……………………（9）
　4.4 中药类医药工业废弃物 ……………………（10）
　4.5 生物工程类医药工业废弃物 ………………（11）
　4.6 混装制剂类医药工业废弃物 ………………（12）
5 废弃物监测 ……………………………………（13）
本规范用词说明 …………………………………（14）
引用标准名录 ……………………………………（15）
附：条文说明 ……………………………………（17）

Contents

1 General provisions ·· (1)
2 Terms ·· (2)
3 Basic requirements ·· (5)
4 Classified requirements ··· (7)
    4.1 Requirements for waste treatment of fermented pharmaceutical industry ·································· (7)
    4.2 Requirements for waste treatment of chemically synthesized pharmaceutical industry ·················· (8)
    4.3 Requirements for waste treatment of extracted pharmaceutical industry ·································· (9)
    4.4 Requirements for waste treatment of chinese traditional medical pharmaceutical industry ·············· (10)
    4.5 Requirements for waste treatment of biological engineering pharmaceutical industry ···················· (11)
    4.6 Requirements for waste treatment of mixing and formulating pharmaceutical industry ··················· (12)
5 Waste monitoring ··· (13)
Explanation of wording in this code ···························· (14)
List of quoted standards ·· (15)
Addition: Explanation of provisions ···························· (17)

1 总　　则

1.0.1 为贯彻《中华人民共和国环境保护法》和《中华人民共和国固体废物污染环境防治法》，规范医药工业废弃物收集、贮存、运输、处置的设施建设的技术要求，保护环境，制定本规范。

1.0.2 本规范适用于新建、扩建和改建的发酵类、化学合成类、提取类、中药类、生物工程类和混装制剂类医药工业废弃物处理设施的设计、施工和验收，以及相关的建设项目环境影响评价、环境保护设施设计、竣工环境保护验收及其运行期废弃物的污染防治。本规范不适用于医药研发（不包括企业内部研发）、医疗、放射性、实验动物设施及质检废弃物的处理。

1.0.3 医药工业废弃物处理设施的设计、施工和验收，除应符合本规范外，尚应符合国家现行有关标准的规定。

2 术　语

2.0.1　医药工业废弃物　pharmaceutical industry waste

在发酵类、化学合成类、提取类、中药类、生物工程类和混装制剂类医药工业生产过程中产生的丧失原有价值或虽未丧失利用价值但被抛弃或者放弃的固态、半固态、液态和置于容器中的气态的物质、物品，以及法律、行政法规规定纳入固体废物管理的物质、物品。分为医药工业危险废物和医药工业一般工业固体废物。

2.0.2　医药工业危险废物　pharmaceutical industry hazardous waste

在发酵类、化学合成类、提取类、中药类、生物工程类和混装制剂类医药工业生产过程中产生的废弃物且列入《国家危险废物名录》或根据国家规定的危险废物鉴别标准和鉴别方法认定的具有腐蚀性、毒性、易燃性、反应性、致癌性和感染性等一种或一种以上危险特性，以及不排除具有以上危险特性的医药工业废弃物。

2.0.3　医药工业一般工业固体废物　pharmaceutical industry general industrial solid waste

在发酵类、化学合成类、提取类、中药类、生物工程类和混装制剂类医药工业生产过程中产生的废弃物且未被列入《国家危险废物名录》或根据国家规定的鉴别标准和鉴别方法判定不具有危险特性的工业固体废弃物。

2.0.4　发酵类医药工业　fermented pharmaceutical industry

通过发酵的方法产生抗生素或其他的活性成分，然后经过分离、纯化、精制等工序生产出药物的过程，按产品种类分为抗生素类、维生素类、氨基酸类和其他类。

2.0.5 化学合成类医药工业 chemically synthesized pharmaceutical industry

采用一个化学反应或一系列化学反应生产药物活性成分的过程。

2.0.6 提取类医药工业 extracted pharmaceutical industry

运用物理的、化学的、生物化学的方法,将生物体中起重要生理作用的各种基本物质经过提取、分离、纯化等手段制造药物的过程。

2.0.7 中药类医药工业 chinese traditional medical pharmaceutical industry

以药用植物和药用动物为主要原料,根据国家药典和注册标准,生产中药饮片和中成药各种剂型产品的过程。

2.0.8 生物工程类医药工业 biological engineering pharmaceutical industry

利用微生物、寄生虫、动物毒素、生物组织等,采用基因工程技术等现代生物技术方法进行生产,作为治疗、诊断等用途的多肽和蛋白质类药物、疫苗等药品的过程,包括基因工程药物、基因工程疫苗、克隆工程制备药物等。

2.0.9 混装制剂类医药工业 mixing and formulating pharmaceutical industry

用药物活性成分和辅料通过混合、加工和配制,形成各种剂型药物的过程。

2.0.10 收集 waste collection

医药工业废弃物聚集、分类和整理的活动。

2.0.11 暂时贮存 temporary storage

医药工业废弃物产生单位在废弃物运往最终处置地前将废弃物存放于符合环境保护标准要求的专门场所或设施内的过程。

2.0.12 运输 transportation

将医药工业废弃物从产生地运送到最终处置地的活动。

2.0.13 处置　disposal
　　医药工业废弃物处置单位按规定的技术措施和要求,对废弃物进行安全无害和减量处理的过程。
2.0.14 处理　treatment
　　对医药工业废弃物进行收集、贮存、运输、处置的全过程。

3 基本规定

3.0.1 医药工业废弃物处理设施建设应遵循减量化、资源化和无害化的原则,加强废弃物的全过程管理和综合利用,并应符合下列要求:

  1 废弃物应先回收利用或综合利用,不能利用时应采取集中堆存、填埋、焚烧等处置措施;

  2 处置过程中应避免产生二次污染或采取防治二次污染的措施。

3.0.2 医药工业危险废物的收集、贮存、运输设施建设应满足危险废物收集、贮存、运输技术要求,并应符合现行国家标准《危险废物贮存污染控制标准》GB 18597 的有关规定,同时应符合下列要求:

  1 应根据危险废物的特性,制定收集、贮存、运输操作规程,以及工作岗位、上岗培训和记录制度。

  2 医药工业危险废物的收集、装载容器应完整,容器材质和衬里应与危险废物相容,容器应贴有标签,标签内容应完整。

  3 液体危险废物宜用盖顶不易掀开的带有液体灌注孔的容器盛装,宜根据液体危险废物的特性设置放气孔,液体废物注入容器时,应预留足够的空间。

  4 医药工业废弃物贮存应建造专用的贮存设施、场所,应与人员活动密集区分开,并应便于废弃物的装卸、装卸人员及运送车辆的出入;不相容危险废物应分别贮存,并应有充足的贮存空间,同时应有防雨、防渗、防晒的措施;贮存设施、场所的地基高度应确保设施内不受雨洪冲击或浸泡;应有严密的封闭措施;宜有清洗措施;应有照明和通风;设施内应根据危险废物的特性设置醒目的警示标识。

  5 贮存设施、场所的地面和墙裙必须进行防渗防腐处理,产生的泄漏液、渗滤液、浸出液、清洗液应采取收集处理措施，严禁直接排入外环境。

  6 贮存设施、场所的集排水设施宜设置气体导出口及气体净化装置。

3.0.3 医药工业危险废物转移应符合国家现行有关危险废物经营许可和危险废物转移的规定。

3.0.4 医药工业废弃物在车间和厂区内收集、贮存、运输，应符合现行国家标准《医药工业洁净厂房设计规范》GB 50457 的有关规定，危险废物贮存场所应位于全厂全年主导风向的下风侧。

3.0.5 医药工业一般工业固体废物收集、贮存、运输和处置，应符合现行国家标准《一般工业固体废物贮存、处置场污染控制标准》GB 18599 的有关规定。

3.0.6 医药工业危险废物处置，应符合现行国家标准《危险废物焚烧污染控制标准》GB 18484、《危险废物贮存污染控制标准》GB 18597、《危险废物填埋污染控制标准》GB 18598 的有关规定。

3.0.7 医药工业废弃物应及时清理，处理过程中排放的废气应符合现行国家标准《恶臭污染物排放标准》GB 14554、《大气污染物综合排放标准》GB 16297、《危险废物焚烧污染控制标准》GB 18484 等的有关规定。

3.0.8 医药工业废弃物处理过程中排放的废水，应符合现行国家标准《发酵类制药工业水污染物排放标准》GB 21903、《化学合成类制药工业水污染物排放标准》GB 21904、《提取类制药工业水污染物排放标准》GB 21905、《中药类制药工业水污染物排放标准》GB 21906、《生物工程类制药工业水污染物排放标准》GB 21907、《混装制剂类制药工业水污染物排放标准》GB 21908 等的有关规定。需要向城镇下水道排放污水时，还应符合现行行业标准《污水排入城镇下水道水质标准》CJ 343 的有关规定。

3.0.9 医药工业废弃物中高活性、高毒性、高致敏性废弃物的处理，应采用具有灭活、解毒、脱敏等功能的设施和设备。

4 分 类 要 求

4.1 发酵类医药工业废弃物

4.1.1 发酵类医药工业废弃物分类应符合下列要求：
1 危险废物应包括下列内容：
　　1）抗生素类药物生产过程产生的菌丝废渣，蒸馏浓缩、母液分离产生的蒸馏釜残和高浓度母液，生产过程产生的废酸和废碱，粉碎、筛分、总混、包装、过滤生产过程产生的粉尘，过期、不合格药品和原料等纳入国家现行危险废物名录的危险废物；
　　2）按现行国家标准《危险废物鉴别标准》GB 5085 的有关规定鉴别为危险废物的维生素、氨基酸及其他非抗生素类发酵药物生产过程产生的菌丝废渣；
　　3）脱色、过滤、分离等工序产生的不能回收或再生处理的废活性炭、吸附剂和有机溶剂等；
　　4）含有或直接接触药品的废包装材料、废滤芯（滤膜）、废容器以及清洗杂物等；
　　5）按现行国家标准《危险废物鉴别标准》GB 5085 的有关规定鉴别为危险废物的格栅截留物和污水处理污泥。
2 一般工业固体废物应包括下列内容：
　　1）按现行国家标准《危险废物鉴别标准》GB 5085 的有关规定鉴别为一般工业固体废物的维生素、氨基酸及其他非抗生素类发酵药物生产过程产生的菌丝废渣；
　　2）未直接接触药品的废包装材料、废滤芯（滤膜）、废容器以及清洗杂物等；
　　3）按现行国家标准《危险废物鉴别标准》GB 5085 的有关规

定鉴别为一般工业固体废物的格栅截留物和污水处理污泥。

4.1.2 发酵类医药工业废弃物收集、贮存和运输应符合下列要求：

1 抗生素类发酵药菌丝废渣必须经过灭活、灭菌等预处理后，采用危险废物专用收集容器或包装袋分类收集；

2 维生素、氨基酸及其他非抗生素类发酵药物生产过程产生的菌丝废渣，应按现行国家标准《危险废物鉴别标准》GB 5085 有关鉴别结果的规定分类收集。

4.1.3 发酵类医药工业废弃物处置应符合下列要求：

1 抗生素类菌丝废渣应根据废渣特性采取灭活等预处理措施；

2 废水处理过程产生的格栅截留物和污泥，属于一般工业固体废物时，可综合利用或卫生填埋，污泥也可作为同类企业污水生物处理反应器的启动污泥外售。

4.2 化学合成类医药工业废弃物

4.2.1 化学合成类医药工业废弃物分类应符合下列要求：

1 危险废物应包括下列内容：

1) 蒸馏浓缩、母液分离产生的蒸馏釜残和高浓度母液，生产过程产生的废酸和废碱，粉碎、筛分、总混、包装、过滤过程产生的粉尘，过期、不合格药品和原料等纳入国家现行危险废物名录的危险废物；

2) 脱色、过滤、分离等工序产生的不能回收或再生处理的废活性炭、吸附剂和有机溶剂等；

3) 含有或直接接触药品的废包装材料、废滤芯（滤膜）、废容器以及清洗杂物等；

4) 按现行国家标准《危险废物鉴别标准》GB 5085 的有关规定鉴别为危险废物的格栅截留物和污水处理污泥。

  2 一般工业固体废物应包括下列内容：
   1）未直接接触药品的废包装材料、废滤芯（滤膜）、废容器以及清洗杂物等；
   2）按现行国家标准《危险废物鉴别标准》GB 5085 的有关规定鉴别为一般工业固体废物的格栅截留物和污水处理污泥。

4.2.2 化学合成类医药工业废水处理过程中产生的格栅截留物和污泥，属于一般工业固体废物时，可综合利用或卫生填埋，污泥也可作为同类企业污水生物处理反应器的启动污泥外售。

4.3 提取类医药工业废弃物

4.3.1 提取类医药工业废弃物分类应符合下列要求：
  1 危险废物应包括下列内容：
   1）按现行国家标准《危险废物鉴别标准》GB 5085 的有关规定鉴别为危险废物的提取废渣，高浓度釜残液；
   2）生产过程产生的废酸和废碱，粉碎、筛分、总混、包装、过滤过程产生的粉尘，过期、不合格药品和原料，生产过程产生的废液残渣等纳入国家现行危险废物名录的危险废物；
   3）脱色、过滤、分离等工序产生的不能回收加工或再生处理的废活性炭、吸附剂和有机溶剂等；
   4）含有或直接接触药品的废包装材料、废滤芯（滤膜）、废容器以及清洗杂物等；
   5）按现行国家标准《危险废物鉴别标准》GB 5085 的有关规定鉴别为危险废物的格栅截留物和污水处理污泥。

  2 一般工业固体废物应包括下列内容：
   1）按现行国家标准《危险废物鉴别标准》GB 5085 的有关规定鉴别为一般工业固体废物的提取废渣；
   2）未直接接触药品的废包装材料、废滤芯（滤膜）、废容器以及清洗杂物等；

3）按现行国家标准《危险废物鉴别标准》GB 5085 的有关规定鉴别为一般工业固体废物的格栅截留物和污水处理污泥。

4.3.2 提取类医药工业废水处理过程中产生的格栅截留物和污泥，属于一般工业固体废物时，可综合利用或卫生填埋，污泥也可作为同类企业污水生物处理反应器的启动污泥外售。

4.4 中药类医药工业废弃物

4.4.1 中药类医药工业废弃物分类应符合下列要求：
  1 危险废物应包括下列内容：
    1）生产过程产生的废酸和废碱，毒性提取废渣，毒性药材和成药生产中粉碎、筛分、总混、成形、分装过程产生的粉尘，过期、不合格药品，蒸馏釜残液等纳入国家现行危险废物名录的危险废物；
    2）脱色、过滤、分离等工序产生的不能回收加工或再生处理的废活性炭、吸附剂和有机溶剂等；
    3）直接接触毒性药材的废包装材料、废滤芯（滤膜）、废容器以及清洗杂物等；
    4）按现行国家标准《危险废物鉴别标准》GB 5085 的有关规定鉴别为危险废物的格栅截留物和污水处理污泥。
  2 一般工业固体废物应包括下列内容：
    1）泥沙、杂质、非毒性提取中药废渣等；
    2）未直接接触药品的废包装材料、废滤芯（滤膜）、废容器以及清洗杂物等；
    3）按现行国家标准《危险废物鉴别标准》GB 5085 的有关规定鉴别为一般工业固体废物的格栅截留物和污水处理污泥。

4.4.2 中药类医药工业废水处理过程中产生的格栅截留物和污

泥，属于一般工业固体废物时，可综合利用或卫生填埋，污泥也可作为同类企业污水生物处理反应器的启动污泥外售。

4.5 生物工程类医药工业废弃物

4.5.1 生物工程类医药工业废弃物分类应符合下列要求：
 1 危险废物应包括下列内容：
  1）生产过程中产生的蒸馏及反应残渣、母液，反应基或培养基废物，脱色过滤（包括载体）物，废弃吸附剂、废弃催化剂和废弃溶剂，报废药品及过期原料，废菌丝渣、废细胞、废除菌过滤材料，废酸、废碱等纳入国家现行危险废物名录的危险废物；
  2）含有或直接接触药品的废包装材料、废容器以及清洗杂物等；
  3）按现行国家标准《危险废物鉴别标准》GB 5085 的有关规定鉴别为危险废物的格栅截留物和污水处理污泥。
 2 一般工业固体废物应包括下列内容：
  1）未直接接触药品的废包装材料、废容器以及清洗杂物等；
  2）按现行国家标准《危险废物鉴别标准》GB 5085 的有关规定鉴别为一般工业固体废物的格栅截留物和污水处理污泥等。

4.5.2 生物工程类生产过程中产生的反应基或培养基废物、废菌丝渣、废细胞等含有病原体或者细菌、病毒的危险废物，在厂区内分类集中贮存前，应进行灭活、灭菌及消毒等预处理。

4.5.3 生物工程类医药工业废弃物处置应符合下列要求：
 1 生物工程类反应基或培养基废物、废菌丝渣、废细胞等含有病原体或细菌、病毒的危险废物，应采取灭活、灭菌及消毒等预处理措施；
 2 废水处理过程产生的格栅截留物和污泥，属于一般工业固体废物时，可综合利用或卫生填埋，污泥也可作为同类企业污水生物处理反应器的启动污泥外售。

4.6 混装制剂类医药工业废弃物

4.6.1 混装制剂类医药工业废弃物分类应符合下列要求：
 1 危险废物应包括下列内容：
  1）生产过程产生的废除菌过滤材料、报废药品及原料、废液残渣、含药粉尘等纳入国家现行危险废物名录的危险废物；
  2）含有或直接接触药品的废包装材料、废容器以及清洗杂物等；
  3）按现行国家标准《危险废物鉴别标准》GB 5085 的有关规定鉴别为危险废物的格栅截留物和污水处理污泥。
 2 一般工业固体废物应包括下列内容：
  1）未直接接触药品的废包装材料、废容器，以及清洗杂物等；
  2）按现行国家标准《危险废物鉴别标准》GB 5085 的有关规定鉴别为一般工业固体废物的格栅截留物和污水处理污泥等。

4.6.2 混装制剂类医药工业废弃物收集、贮存和运输，凡接触激素类、高致敏性及细胞毒性类等药品的危险废物，应采取灭活、灭菌、脱敏及消毒等预处理措施。

4.6.3 混装制剂类医药工业废水处理过程产生的格栅截留物和污泥，属于一般工业固体废物时，可综合利用或卫生填埋，污泥也可作为同类企业污水生物处理反应器的启动污泥外售。

5 废弃物监测

5.0.1 废弃物处理过程中产生的废气监测,应符合现行国家标准《大气污染物综合排放标准》GB 16297 的有关规定。

5.0.2 恶臭气体监测应符合现行国家标准《恶臭污染物排放标准》GB 14554 的有关规定。

5.0.3 危险废物焚烧产生的废气监测,应符合现行国家标准《危险废物焚烧污染控制标准》GB 18484 的有关规定。

5.0.4 危险废物填埋的渗滤液、地下水和大气监测,应符合现行国家标准《危险废物填埋污染控制标准》GB 18598 的有关规定。

5.0.5 一般固体废物贮存处置场的渗滤液、地下水和大气监测,应符合现行国家标准《一般工业固体废物贮存、处置场污染控制标准》GB 18599 的有关规定。

本规范用词说明

1 为便于在执行本规范条文时区别对待,对要求严格程度不同的用词说明如下:
  1) 表示很严格,非这样做不可的:
     正面词采用"必须",反面词采用"严禁";
  2) 表示严格,在正常情况下均应这样做的:
     正面词采用"应",反面词采用"不应"或"不得";
  3) 表示允许稍有选择,在条件许可时首先应这样做的:
     正面词采用"宜",反面词采用"不宜";
  4) 表示有选择,在一定条件下可以这样做的,采用"可"。

2 条文中指明应按其他有关标准执行的写法为:"应符合……的规定"或"应按……执行"。

引用标准名录

《医药工业洁净厂房设计规范》GB 50457
《危险废物鉴别标准》GB 5085
《恶臭污染物排放标准》GB 14554
《大气污染物综合排放标准》GB 16297
《危险废物焚烧污染控制标准》GB 18484
《危险废物贮存污染控制标准》GB 18597
《危险废物填埋污染控制标准》GB 18598
《一般工业固体废物贮存、处置场污染控制标准》GB 18599
《发酵类制药工业水污染物排放标准》GB 21903
《化学合成类制药工业水污染物排放标准》GB 21904
《提取类制药工业水污染物排放标准》GB 21905
《中药类制药工业水污染物排放标准》GB 21906
《生物工程类制药工业水污染物排放标准》GB 21907
《混装制剂类制药工业水污染物排放标准》GB 21908
《污水排入城镇下水道水质标准》CJ 343

中华人民共和国国家标准

医药工业废弃物处理设施工程技术规范

GB 51042 - 2014

条 文 说 明

制 订 说 明

《医药工业废弃物处理设施工程技术规范》GB 51042—2014 经住房城乡建设部 2014 年 12 月 2 日以第 654 号公告批准发布。

本规范制订过程中,编制组进行了医药工业废弃物处理现状的调查研究,总结了我国医药工业废弃物处理的实践经验,同时参考了国外先进技术法规、技术标准,通过多次调研及总结,取得了医药工业废弃物处理的相关技术参数。

为便于广大设计、施工、科研、学校等单位有关人员在使用本规范时能正确理解和执行条文规定,《医药工业废弃物处理设施工程技术规范》按章、节、条顺序编制了本规范的条文说明,对条文规定的目的、依据以及执行中需注意的有关事项进行了说明,还着重对强制性条文的强制性理由做了解释。但是,本条文说明不具备与规范正文同等的法律效力,仅供使用者作为理解和把握规范规定的参考。

目　次

1 总　则 …………………………………………（23）
2 术　语 …………………………………………（24）
3 基本规定 ………………………………………（25）
4 分类要求 ………………………………………（29）
　4.1 发酵类医药工业废弃物 ……………………（29）
　4.3 提取类医药工业废弃物 ……………………（30）
　4.4 中药类医药工业废弃物 ……………………（30）

1 总 则

1.0.1、1.0.2 本规范为全国通用的医药工业废弃物处理的国家规范,适用于新建、扩建和改建医药工业废弃物处理设施的设计、施工和验收。本规范适用范围仅限于发酵类、化学合成类、提取类、中药类、生物工程类和混装制剂类六大类医药工业生产过程产生的废弃物。除另有注明外,本规范所述的医药工业废弃物的处理是指医药工业废弃物收集、贮存、运输、处置过程,不涉及具体的工艺过程。本规范在引用现有规范时,优先执行行业规范。本规范不适用于医药研发(不包括企业内部研发)、医疗、放射性、实验动物设施及质检废弃物的处理。

医药工业废弃物成分复杂,类型繁多,产生环节各有不同,加之国内外药品生产质量管理规范GMP不断更新修订,都会给医药工业废弃物处理提出新的要求。为了更好地体现国家标准的原则性和通用性,使其条款相对稳定,本规范所列各项规定均为医药工业废弃物处理的基本要求,使用时应首先准确、完整地执行本规范。

2 术　语

2.0.4～2.0.9　医药工业定义与现行六大类医药行业废水排放标准《发酵类制药工业水污染物排放标准》GB 21903、《化学合成类制药工业水污染物排放标准》GB 21904、《提取类制药工业水污染物排放标准》GB 21905、《中药类制药工业水污染物排放标准》GB 21906、《生物工程类制药工业水污染物排放标准》GB 21907、《混装制剂类制药工业水污染物排放标准》GB 21908 保持一致。

　　第2.0.7条，针对中药类医药工业定义，本规范增加了"注册标准"，由于中成药新品种的日益增加，有部分药品还未加入"药典"就已取得批文并投入生产。因此，该定义强调除加入"药典"外的已按注册标准进行注册的药物，均为中药类医药工业药品。

　　第2.0.9条，混装制剂类药物按原料药来源的不同可分为化学药品制剂和中药制剂。其中中药制剂在制药工业污染物排放标准体系中列入中药类，如口服液、中药糖浆等液体制剂，因此本规范涉及的混装制剂类药物特指化学药品制剂。

2.0.10　废弃物的收集有两种情况，一种是由产生者负责的废弃物产生源内的收集，另一种是由运输者负责的在一定区域内对废弃物产生源的收集。

3 基本规定

3.0.1 本条是对医药工业废弃物处理总的要求。《中华人民共和国固体废物污染环境防治法》总则第三条、第四条均对"减量化、资源化和无害化的原则"做出了解释。该法第十六条对"避免产生二次污染或有防治二次污染的措施"做出了具体的解释。

资源化是指对废弃物直接作为原料进行利用或者对废物进行再生利用,医药工业废弃物可以资源化的废弃物举例说明如下:发酵类一般工业固废中的维生素、氨基酸类菌丝废渣可作为动物饲料;抗生素菌渣虽为危险废物,由于其营养丰富,粗蛋白含量平均在40%以上,可用于沼气生产;废活性炭、吸附剂和有机溶剂等经过再生、分离等处理后,可用作化工或其他行业的生产原材料;中药类非毒性废渣经烘干后可作为燃料;未直接接触药品或原料的废包装材料可回收再利用等。

3.0.2 本条规范了医药工业废弃物处理的收集、贮存、运输等技术要求。

2 医药工业危险废物的收集、装载容器必须通过完整性检测,必须防止医药工业危险废物的腐蚀性、毒性、易燃性、反应性、致癌性和感染性六大特性,对人和环境构成危害。容器材质和衬里应与危险废物相容,不能相互反应,若不相容,易导致腐蚀、泄漏、火灾、爆炸等危害。因医药工业危险废物特性不一样,导致的危害不一样,采取的贮存措施不一样,因此必须贴标签且内容完整。

3 液体危险废物盛装容器应具有恰当的装料系数,与物料的挥发性相适应,因此应预留足够的空间。

4 充足的贮存空间按危险废物的产生量和储存周期来判定。

严密的封闭措施指维护结构应满足医药工业危险废物的腐蚀性、毒性、易燃性、反应性、致癌性和感染性六大特性。

  5 贮存设施、场所产生的废水因含有危险废物的特性应有收集处理措施,且应根据不同类型的制药废水来收集处理,分别执行现行国家标准《发酵类制药工业水污染物排放标准》GB 21903、《化学合成类制药工业水污染物排放标准》GB 21904、《提取类制药工业水污染物排放标准》GB 21905、《中药类制药工业水污染物排放标准》GB 21906、《生物工程类制药工业水污染物排放标准》GB 21907、《混装制剂类制药工业水污染物排放标准》GB 21908的规定。

3.0.3 相关规定是指如《危险废物经营许可证管理办法》和《危险废物转移联单管理办法》等。医药工业危险废物运输单位应由取得危险货物道路运输许可的企业承运,运送人员应取得危险废物运输的上岗资格,运输单位应对运送人员进行有关专业技能的培训,制定危险废物运输中事故应急预案。

3.0.4 本条规范强调了医药工业废弃物处理时除应满足国家现行相应标准外,还应执行医药行业的相关标准,体现了医药工业废弃物处理的特殊性。例子包括现行国家标准《医药工业洁净厂房设计规范》第 4.2.1 条提出的"厂区的总平面布置应符合国家有关工业企业总体设计要求,并应满足环境保护的要求,同时应防止交叉感染"以及第 4.2.3 条提出的"……三废处理、锅炉房等有严重污染的区域,应位于厂区全年最大频率风向的下风侧"。

  世界银行 1998 年 7 月生效的《污染预防与消除手册》给出了医药工业废气、废水及固体废物的排放指南,本规范也要求参照执行。

  医药工业废气排放应满足表 1 中的最大限值。其中,A 类化合物是指那些能对人体健康和环境产生严重危害的物质,包括《蒙特利尔议定书》中规定的物质,以及欧盟指南《来自某些工艺和工业装置的有机溶剂的限制》(*The Limitation of Organic Solvents* from Certain Processes and Industrial Installations)中对B组化合物的评价所识别出的其他物质和其他国际标准中规定的物质,如乙醛、丙烯酸、苄基氯、四氯化碳、氯氟烃(正在被淘汰)、丙烯酸乙酯、哈龙(正在被淘汰)、马来酐、1,1,1－三氯乙烷、三氯甲烷、三氯乙烯和三氯甲苯。B类化合物指那些对环境的影响比A类化合物小的有机化合物,如甲苯、丙酮和丙烯。厂界处的气味应该是可接受的。

表1 医药工业大气排放限值

参 数	最大值 mg/Nm^3
活性成分(每种)[a]	0.15
PM(颗粒物)	20
A类化合物总量[b]	20
B类化合物总量[c]	80
苯、氯乙烯、二氯乙烷(每种)	5

注:1 a 为低于此限值以下的排放可能不是微不足道的,因此可能仍然需要控制并确定合理的排放限值;
2 b 为当A类化合物总量超过100g/hr时适用;
3 c 为当B类化合物总量(以甲苯计)超过5t/a或2kg/hr时适用。

制药企业出水排放应满足表2中的最大限值。其中,生物试验应确保出水的毒性在可接受的范围内(对鱼类的毒性＝2;对大型溞的毒性＝8;对藻类的毒性＝16;对细菌的毒性＝8)。

表2 制药工业出水限值

项 目	最大值(mg/L, pH除外)	项 目	最大值(mg/L, pH除外)
pH	6～9	苯酚	0.5
生化需氧量(BOD)	30	砷	0.1
化学需氧量(COD)	150	镉	0.1
可吸附有机卤化物(AOX)	1	六价铬	0.1

续表 2

项 目	最大值(mg/L, pH 除外)	项 目	最大值(mg/L, pH 除外)
总悬浮性固体(TSS)	10	汞	0.01
矿物油和油脂	10	活性成分(每种)	0.05

注：BOD测试只能在出水中不含有对测试中使用的微生物产生毒害的物质的情况下进行。

固体废物应在控制条件下焚烧，控制条件为最低温度1000℃及液体停留时间1s，以使有毒有机物的削减率达到99.99%。卤化有机物通常不焚烧。在焚烧这些有机物的地方，二噁英和呋喃的排放限值应小于 $1ng/Nm^3$（以 2,3,7,8－TCDD 计）。

3.0.9 医药工业高活性、高毒性或高致敏性废弃物，具有高于或远高于其他医药工业废弃物的危害性，并在自然环境中难以降解。该类废弃物应灭活、脱毒、脱敏后再按医药工业危险废物处理。特殊性药品，如高活性药物（如抗肿瘤类、活疫苗类）、高毒性药物（如抗代谢物类、烷化剂类）或高致敏性药物（如青霉素类），在处理之前必须采取灭活、脱毒、脱敏措施，类似地，《药品生产质量管理规范》(2010年修订)在第一百九十条规定了"在干燥物料或产品，尤其是高活性、高毒性或高致敏性物料或产品的生产过程中，应当采取特殊措施，防止粉尘的产生和扩散"。

六大类医药工业中废弃物的分类是按照危险废物及一般工业固体废物的定义进行划分。六大类医药工业中废弃物的处理除了遵循各大类特定要求外还必须执行一般要求内提出的相关要求。

4 分类要求

4.1 发酵类医药工业废弃物

4.1.1 发酵菌丝废渣是发酵过程的必然产物,抗生素菌丝废渣主要构成为未被利用的抗生素、培养基和细胞物质以及无机助滤剂等,其主要成分为蛋白质、脂肪和糖类等,同时含有一定的残留抗生素效价。由于抗生素菌丝废渣中含有丰富的蛋白质,过去一直采用干燥加工处理后作为饲料或饲料添加剂,或作为肥料进行综合利用。2002年,农业部、卫生部等部门联合发布了《禁止在饲料和动物饮用水中使用的药物品种目录》(农业部公告第176号),认为"抗生素滤渣是抗生素类产品生产过程中产生的工业三废,因含有微量抗生素成分,在饲料和饲养过程中使用后对动物有一定的促生长作用。但对于养殖业的危害很大,一是容易引起耐药性,二是由于未做安全性实验,存在各种安全隐患",因此,把抗生素菌渣列入目录中,禁止未进行处理的抗生素菌渣做饲料添加剂。同时,《国务院办公厅转发农业部关于促进饲料业持续健康发展若干意见的通知》(国办发〔2002〕42号),禁止抗生素菌丝废渣被用作动物饲料,并将其列入危险废物。2002年,最高人民法院、最高人民检察院颁布了《关于办理非法生产、销售、使用禁止在饲料和动物饮用水中使用药品等刑事案件具体应用法律若干问题的解释》(法释〔2002〕26号),进一步强化了对抗生素菌丝废渣流向饲料市场的管理。2008年,"化学药品原料药生产过程中的母液及反应基或培养基废物"被列入《国家危险废物名录》。

目前,对抗生素菌丝废渣的处理,还在寻求妥善的处置途径。许多医药工业开展了抗生素菌渣无害化处置和不同用途的研究,例如华药集团正进行用青霉素菌渣制抗生素发酵原料(代替豆饼粉)的研究;张家口制药集团进行了抗生素菌渣无害化处理后制菌体蛋白做饲料添加剂的研究;石药集团中润制药有限公司进行了利用酶催化降解青霉素菌渣中残留青霉素后制粒烘干制成有机肥的研究。

本规范明确规定抗生素类药物生产产生的菌丝废渣应作为危险废物处置。为了贯彻医药工业废弃物处理应遵循减量化、资源化和无害化的原则,发酵类医药废弃物分类特别强调了维生素、氨基酸及其他非抗生素类发酵药物生产过程产生的菌丝废渣,以及污水处理时产生的格栅截留物和污水处理污泥均需要经过鉴别后做相应处理。一般而言,危险废物处理成本高且处理难度大,若能减少危险废物的产生,便从根本上贯彻了减量化原则。

4.1.2 抗生素类发酵药菌丝废渣带有活性物质,易对环境造成二次污染及对人体、动植物造成健康危害,因此,必须经过灭活、灭菌等预处理后,采用危险废物专用收集容器或包装袋分类收集。

4.3 提取类医药工业废弃物

4.3.1 提取类医药工业废弃物分类特别强调了提取废渣需要经过鉴别后做相应处理。

4.4 中药类医药工业废弃物

4.4.1 中药类医药工业废弃物分类中提出了毒性提取废渣为危险废物,非毒性提取废渣为一般工业固体废物。非毒性提取废渣部分可回收再利用,如穿山龙提取废渣可用于生产有机肥,丹参提取废渣可用于食用菌饲料等。本规范提出将提取废渣分类处理,有效地解决了中药废渣处理难的问题,同时也贯彻了减量化原则。